LES MILLE PREMIERS MOTS EN ESPAGNOL

avec un guide de prononciation simplifiée

Heather Amery et Reyes Mila
Illustrations de Stephen Cartwright

La casa
el baño
el jabón
el grifo
la espuma de baño
el cepillo de dientes
el agua
la toalla
la esponja
la ducha
la pasta de dientes
el lavabo
el retrete
la biblioteca
la mesita
la radio
el radiador
la lana
el papel pintado
el reloj
el cojín
la alfombra
el tocadiscos

silla

las cartas

el teléfono

la telaraña

la mosca

el periódico

el colgador de ropa

las escaleras

la araña

En la cocina
la nevera
los vasos
el reloj
las cucharas de madera
el delantál
el interruptor
las cacerolas
los platitos
la plancha
el calentador de agua
el fregasuelos
el aspirador
el fregadero
los tenedores
la puerta
el trapo
el taburete
los cuchillos
la cera de lustra

la cocina
los azulejos
el cajón
la basura
la sartén
la lavadora
el recogedor de polvo
los platos
la tabla de planchar
el detergente
el cepillo
el armario
la mesa
la bombilla
las tazas
las cucharas
las cerillas
la llave
la escoba
las escudillas

En el jardín
la carretilla
la colmena
el caracol
los ladrillos
el cubo de basura
la oruga
la pala
la hormiga
el pájaro
el canalón del tejado
la escalera de mano
las semillas
el cobertizo
el gusano
las flores
el irrigador
el hueso
el seto
la paleta

el cortacésped
el camino
el árbol
la horca
las hojas
la escoba
la manguera
la azada
el humo
la abeja
el rastrillo
el cochecito de niño
la avispa
la hierba
las plantas
la hoguera
el nido de pájaro
los palos
el invernadero

El taller
el papel de lija
el taladro
los tornillos a tuerca
las tachuelas
la sierra
el serrín
el martillo
la lima
la caja de herramientas
el destornillador
el tablón
el bote de pintura
las virutas
la navaja

el barril
el hacha
las tuercas
la cinta de medir
los tornillos
la escalera de mano
los clavos
el torno de banco
la leña
el banco
los potes
la madera
el cepillo de carpintero

La calle
la gasolinera
la ambulancia
la bicicleta
el agujero
el bar
la acera
la tienda
el semáforo
la chimenea
el camión
el paso de peatones
los escalones
el hombre
el hotel
el coche de policía
la apisonadora
la taladradora
la escuela
el patio de recreo
los pisos

la estatua
el autobús
el taxi
el remolque
las tuberías
el tejado
el mercado
la fábrica
la antena de televisión
la furgoneta
el policía
el coche de bomberos
la casa
excavadora
la iglesia
el cine
el coche
la motocicleta
el conductor
el farol
la mujer

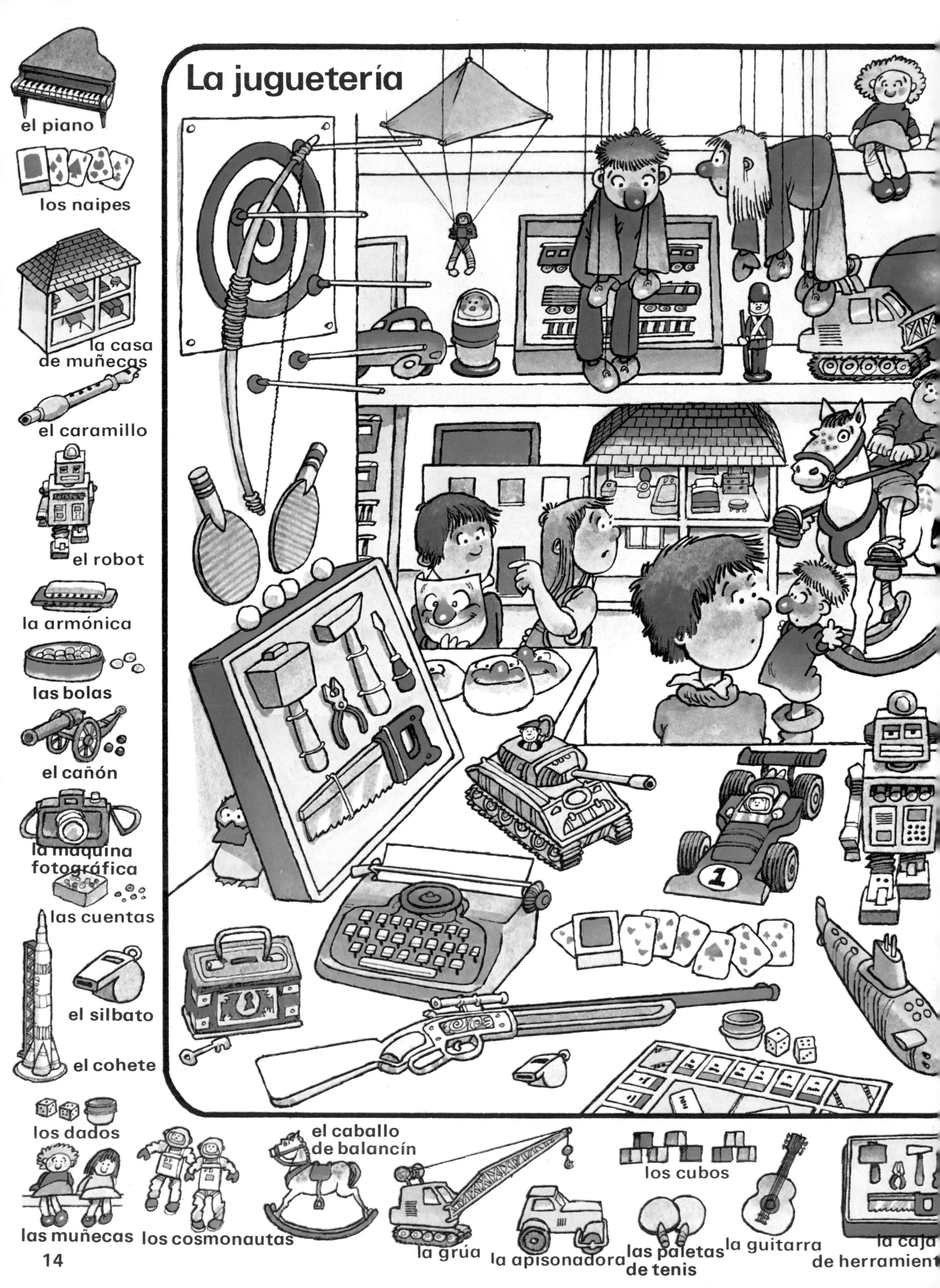
La juguetería
el piano
los naipes
la casa de muñecas
el caramillo
el robot
la armónica
las bolas
el cañón
la máquina fotográfica
las cuentas
el silbato
el cohete
los dados
las muñecas
los cosmonautas
el caballo de balancín
la grúa
la apisonadora
los cubos
las paletas de tenis
la guitarra
la caja de herramient

la caña de pescar
la caja de pinturas
la arcilla
el paracaídas
la máquina de escribir
el yate
el blanco
el tanque
los soldaditos de plomo
el fuerte
la hucha
caja de tren
los tambores
las pelotas
los títeres
el coche de carreras
las máscaras
la trompeta
el arco y las flechas
la escopeta
el submarino

El parque
la pelota
la cuerda
el
hoyo de arena
el picnic
la cometa
el helado
el perro
los columpios
la verja
el sendero
los renacuajos
el tobogán
la rana
el matorral
los patines
de ruedas
los niños
el patinet

los cisnes
el bebé
la tierra
las vallas
la sillita de ruedas
las palomas
el columpio
las flores
el charco
los patitos
la cuerda de saltar
el barquito
el macizo de flores
el banco
el lago
la correa de perro
los patos
los árboles

En el zoo

el murciélago
el hipopótamo
el pingüino
el panda
las patas
el ala
el águila
el canguro
las plumas
el avestruz
el lobo
el mono
el pelícano
la jirafa
el gorila
el castor
el oso
el león
los cachorros de león
el cocodrilo

la cuerna
el ciervo
el dromedario
la foca
el oso blanco
los monos
el elefante
la trompa
la cebra
el búfalo
el rinoceronte
el tiburón
el rabo
las cabras
el delfín
el leopardo
el tigre
la ballena

los raíles

el jefe de estación

la máquina

los topes

el vagón restaurante

los vagones

el maquinista

el tren de mercancías

el andén

las señales

el revisor

La estación de ferrocarril

El garaje

las maletas

las luces delanteras

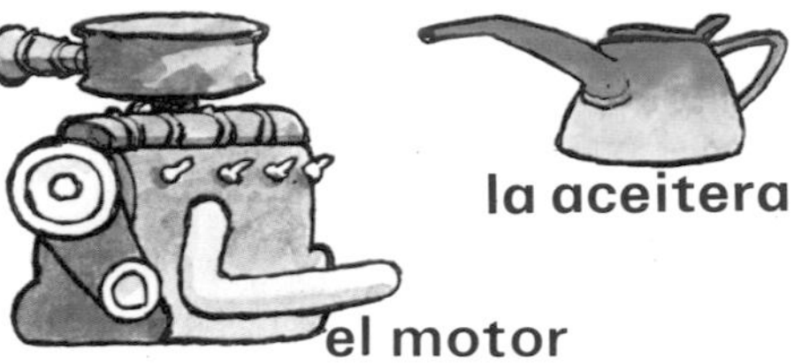

la aceitera

el motor

la batería

el camión de gasolina

El aeropuerto

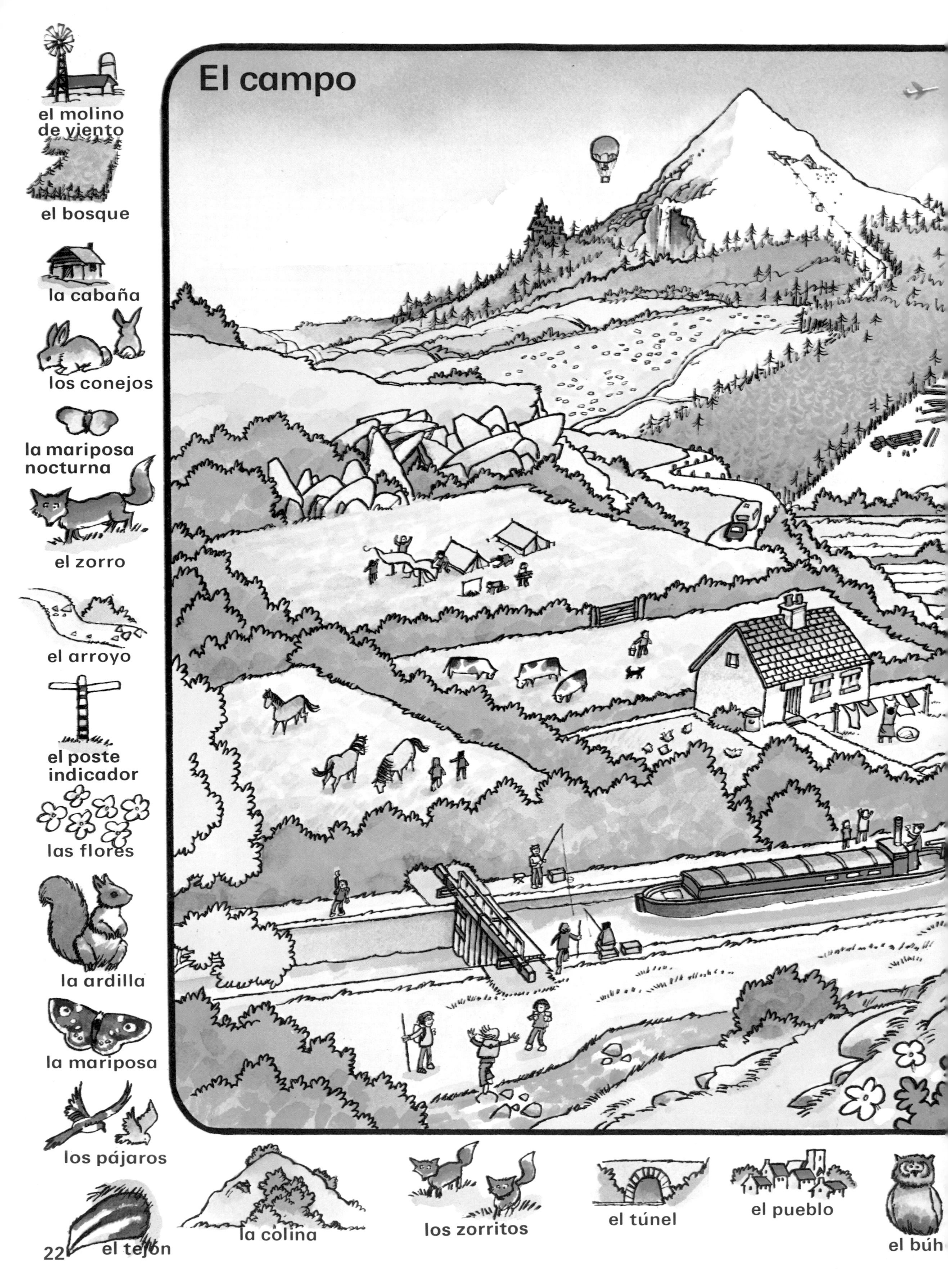
El campo
el molino de viento
el bosque
la cabaña
los conejos
la mariposa nocturna
el zorro
el arroyo
el poste indicador
las flores
la ardilla
la mariposa
los pájaros
el tejón
la colina
los zorritos
el túnel
el pueblo
el búh

el globo
la caravana
los troncos
las tiendas de campaña
la carretera
el puente
la barcaza
la cascada
la montaña
las piedras
el topo
la puerta de esclusa
el pescador
las rocas
el canal
el tren
el río

La granja
el estanque
las ovejas
el almiar
los patos
el remolque
los corderos
la valla
el pajar
la pocilga
el toro
el lodo
los cerditos
el granero
la cuadra
el granjero
la carreta
el poney
el tractor
la silla
de montar
las ocas
las balas de paja
los sacos

el camión
el huerto
el gallinero
el establo
la vaca
los patitos
el gallo
el ternero
el arado
el perro pastor
el pastor
los pavos
el espantapájaros
s gallinas
los cerdos
los pollitos
el caballo
los ansarinos
el campo
el heno
el trigo
la granja

el barco de vela

el mar

el remo

el faro

la pala

el cubo

la estrella de mar

el castillo de arena

la gaviota

la bandera

el cangrejo

el marinero

el sombrero de paja

La playa

la boya

la isla

el puerto

la tumbona

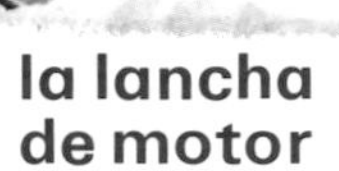

la lancha de motor

el esquiador acuático

las olas
la concha de mar
el acantilado
el barco
la canoa
las piedrecitas
el balón
las rocas
las aletas
el alga
la red
el canalete
la barca de pesca
la cuerda
el traje de baño
el bote de remos
el petrolero
el burro
quitasol

La escuela
la pecera
la placa
el techo
los lápices
los chicos
el calendario
la pared
la papelera
las tijeras
4+2 =
3-2 =
las cuentas
la regla
el pupitre
las fotos
las pinturas
el papel
los pinceles
la campanilla
a b c ch d e f
g h i j k l ll m
n ñ o p q r rr s
t u v w x y z
el abecedario
las cajas
los libros

a b c ch d e f g h i
j k l ll m n ñ o p q
r rr s t u v w x y z
el cuadro
las plumas
la tiza
el caballete
el suelo
las plantas
las chicas
el globo terráqueo
la cola
el pomo de la puerta
el cuaderno
las chinchetas
el dibujo
el mapa
los lápices de colores
la lámpara
la pizarra
la persiana
la goma
la profesora

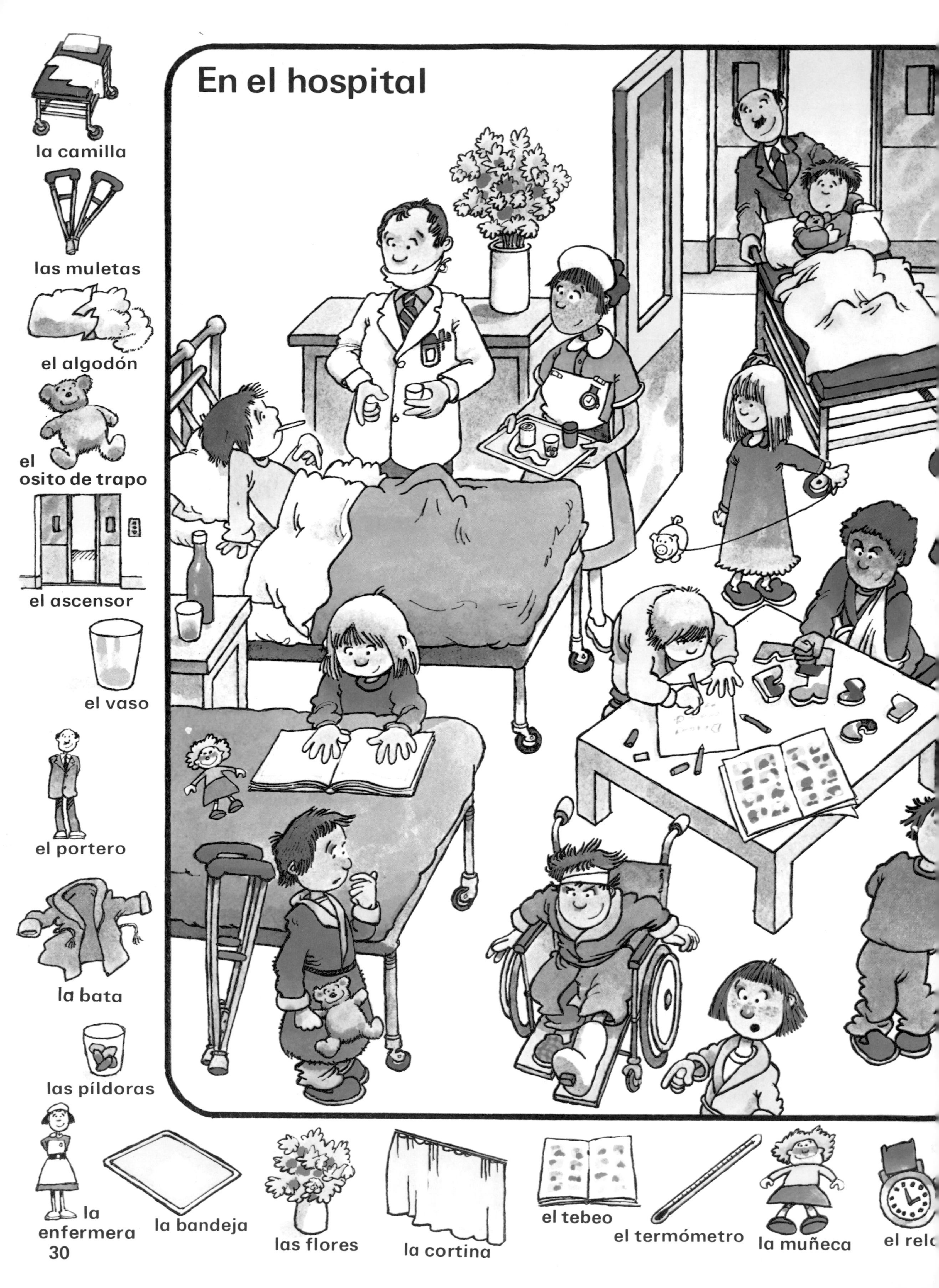
En el hospital
la camilla
las muletas
el algodón
el osito de trapo
el ascensor
el vaso
el portero
la bata
las píldoras
la enfermera
la bandeja
las flores
la cortina
el tebeo
el termómetro
la muñeca

el armario
de cabecera
las medicinas
las zapatillas
el pijama
la inyección
el zumo
el camisón
el armario
la televisión
cama
la gráfica de temperaturas
el enyesado
la venda
el ojo
morado
la silla de ruedas
el rompecabezas
el médico

La fiesta
los globos
las bengalas
los sombreros de papel
el dulce ae crema
los bocadillos
la luna
los caramelos
las galletas
el mantel
los discos
el pastel
el chocolate
los bollos
la linter

los juguetes
la cinta
las velas
las pajitas
las estrellas
los paquetes
el budín
los regalos
la ventana
la jalea
los fuegos artificiales
la guirnalda de papel
el disfraz

El supermercado
QUESO
FRUTA
FRUTA
VERDURAS
los plátanos
las toronjas
la lechuga
las uvas
la coliflor
las manzanas
las zanahorias
los puerros
la calabaza
el pepino
los limones
el apio
las judías
las cerezas
los albaricoques
la col
el melón
los champiñones
las cebollas
los tomates
los melocotones
los guisantes
la piña
las ciruelas
las patatas
las frambuesas
las espinacas

PESCADO
PAN
COMESTIBLES
las latas
el pan
la mantequilla
el queso
el pollo
los huevos
el pescado
la harina
la compota
la carne
las salchichas
el yogur
el cesto
las botellas
es de Bruselas
las naranjas
las fresas
las bolsas
la caja
la balanza
el dinero
el monedero
el carrito
el bolso

Los alimentos

le cena
el té
el zumo de naranja
las nueces
la carne
el azúcar
la sopa
la tortilla
la ensalada
los panecillos
el cocido
las tortitas
el arroz
el vino
los fideos
la salsa

El cuerpo humano

Los vestidos

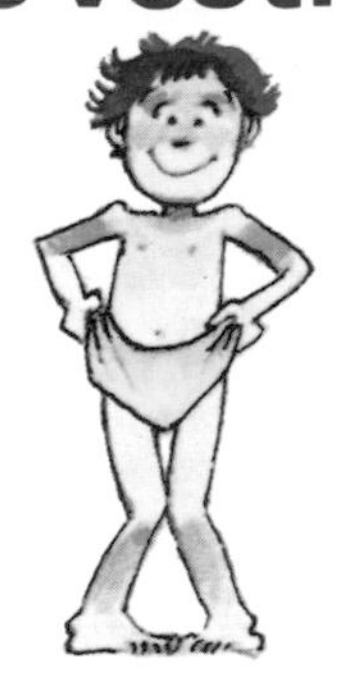
los calzoncillos

la camiseta

los pantalones

los tejanos

la camiseta

la falda

la camisa

la corbata

los pantalones cortos

los calcetines

el suéter

el jersey

la chaqueta

las medias

la blusa

el vestido

las zapatillas de goma

los zapatos

las sandalias

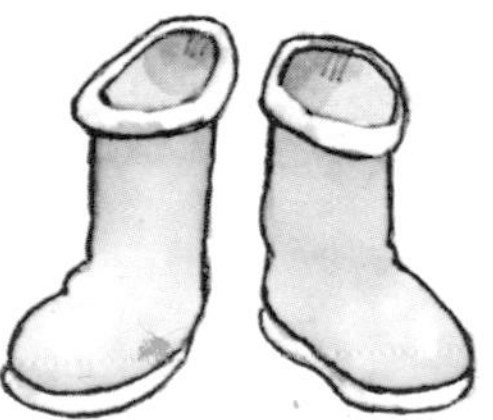
las botas

los guantes

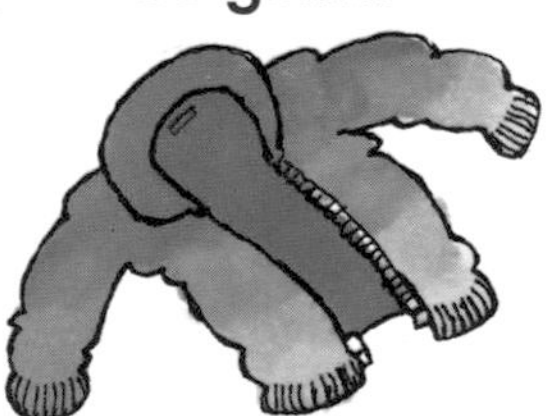
la americana

el anorak

el abrigo

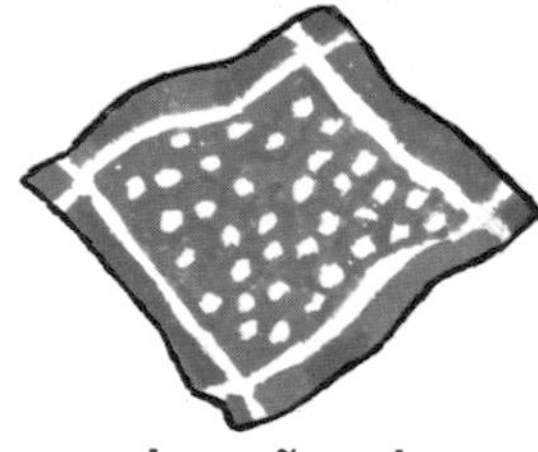
el pañuelo

la gorra

el sombrero

el cinturón

los botones

los ojales

los bolsillos

la cremallera

las hebillas

los cordones

la bufanda

La gente

el cocinero
la bailarina
el actor
el submarinista
el astronauta
el carpintero
el director
de orquesta
el payaso
el granjero
el tendero
el soldado
el policía
la cantante
el corredor de automóviles
el mecánico
el artista

el carnicero
el bombero
el cartero
2
el buzo
el maquinista
el pintor
el alpinista
el dentista
el piloto
el juez inglés
el guardián del zoo
el panadero

La familia

el padre
el esposo
la madre
la esposa
la hija
la hermana
el hijo
el hermano
la tía
el tío
el primo
la abuela
el abuelo

Palabras de acción

acer pompas
trepar
jugar
cocinar
pelear
dormir
esperar
saltar
cosechar
mirar
lanzar
hablar
tirar
tomar
comer
coser
cantar
cavar
ganar
correr
saltar
estar de pie
hacer
comprar
andar
empujar

Palabras opuestas

lento
rápido
fácil
difícil
largo
corto
arriba
abajo
bonito
feo
encima
debajo
la parte delantera
la parte trasera
vivo
muerto
mojado
seco
oscuro
claro
abierto
cerrado
a la
derecha
viejo
nuevo
fuera
dentro

Palabras de libros de cuentos

el demonio
la corona
el palacio
el paje
la princesa
la espada
la reina
el rey
el príncipe
el ángel
la cárcel
el dinosaurio
los renos
el trineo
el Papá Noel
el mago
la boda
el novio
la novia
las damas
de honor
el fantasma
el monstruo

Animales favoritos

Palabras sobre el tiempo

las nubes

la niebla

la lluvia

la helada

la nieve

el sol

el arco iris

el relámpago

el rocío

el viento

la neblina

Las estaciones

la primavera

el verano

el otoño

el invierno

Los deportes

el boxeo

el ciclismo

el béisbol

la natación

el fútbol

la gimnasia

el salto de altura

el esquí

la carrera de coches

el tenis

la carrera de caballos

el patinaje

el tiro al blanco

el cricket

el levantamiento de pesos

el concurso hípico

la carrera de motocicletas

la equitación

la navegación

el ping-pong

el remo

la lucha libre

el baloncesto

el judo

Los colores

Las formas

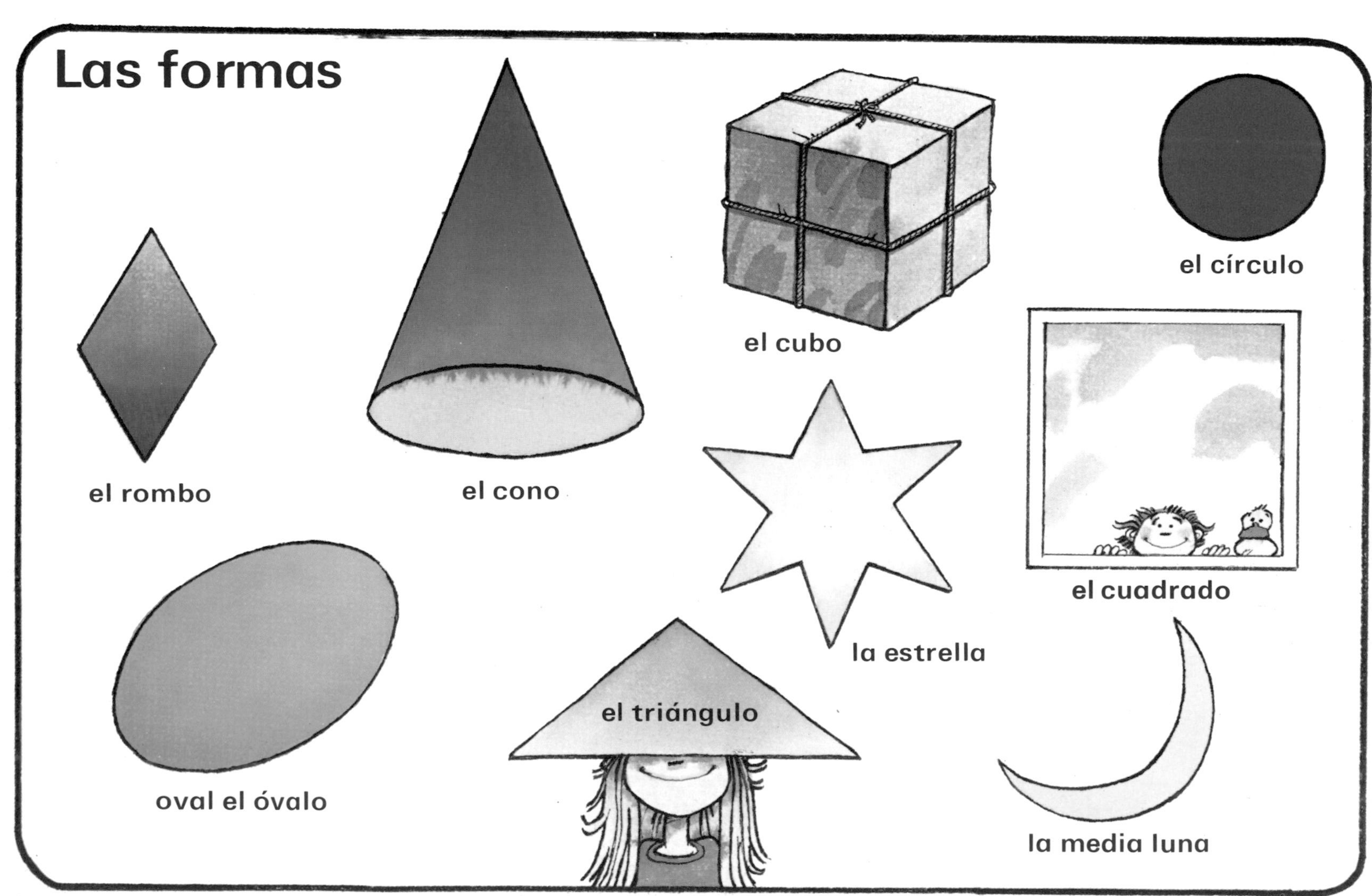

Los números

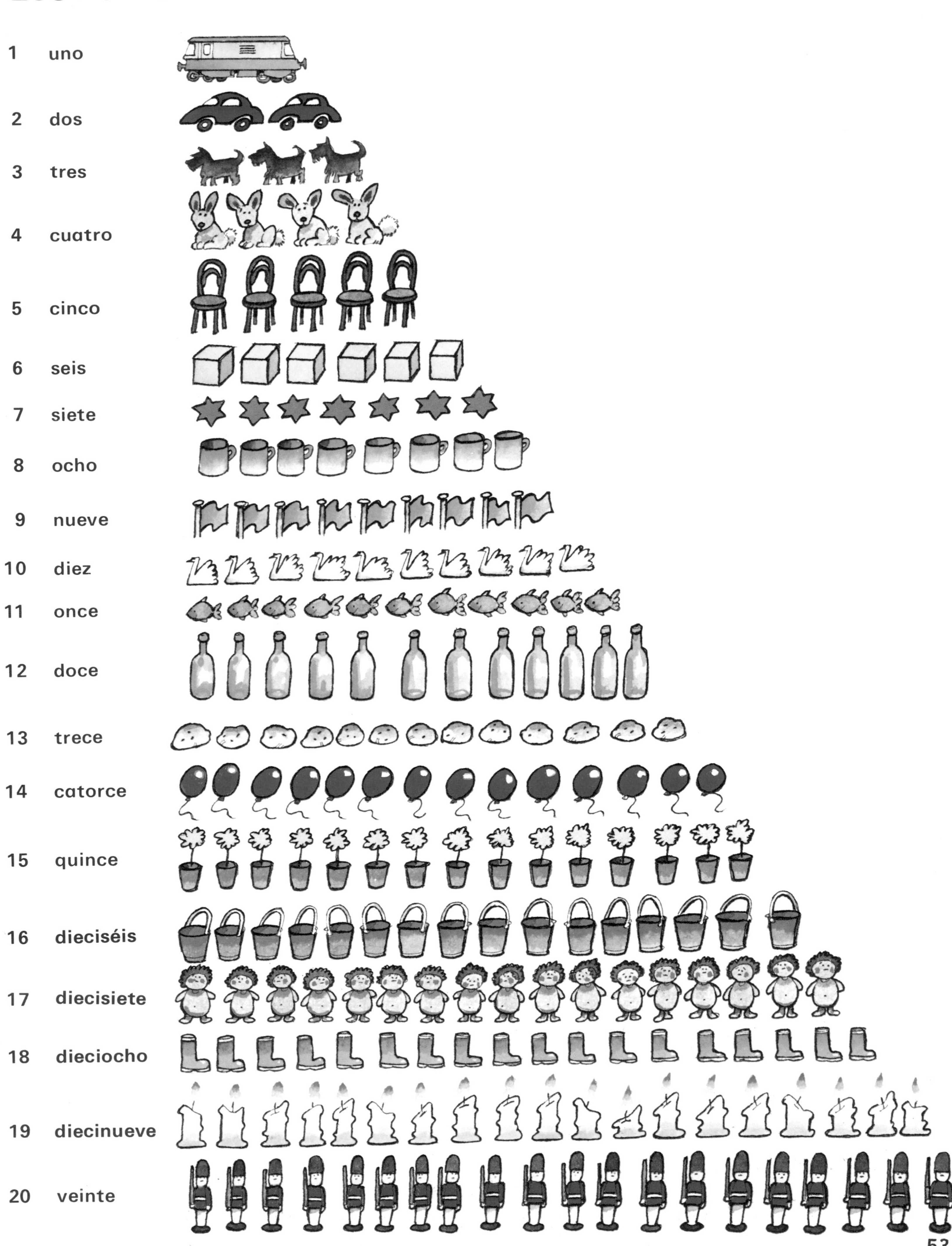
1 uno
2 dos
3 tres
4 cuatro
5 cinco
6 seis
7 siete
8 ocho
9 nueve
10 diez
11 once
12 doce
13 trece
14 catorce
15 quince
16 dieciséis
17 diecisiete
18 dieciocho
19 diecinueve
20 veinte

La feria

el tiovivo
la esterilla
el tobogán
la noria
los coches de choque
la montaña rusa
los aros
las palomitas de maiz
el caramelo americano
el tren fantasma
la barraca de tiro al blanco

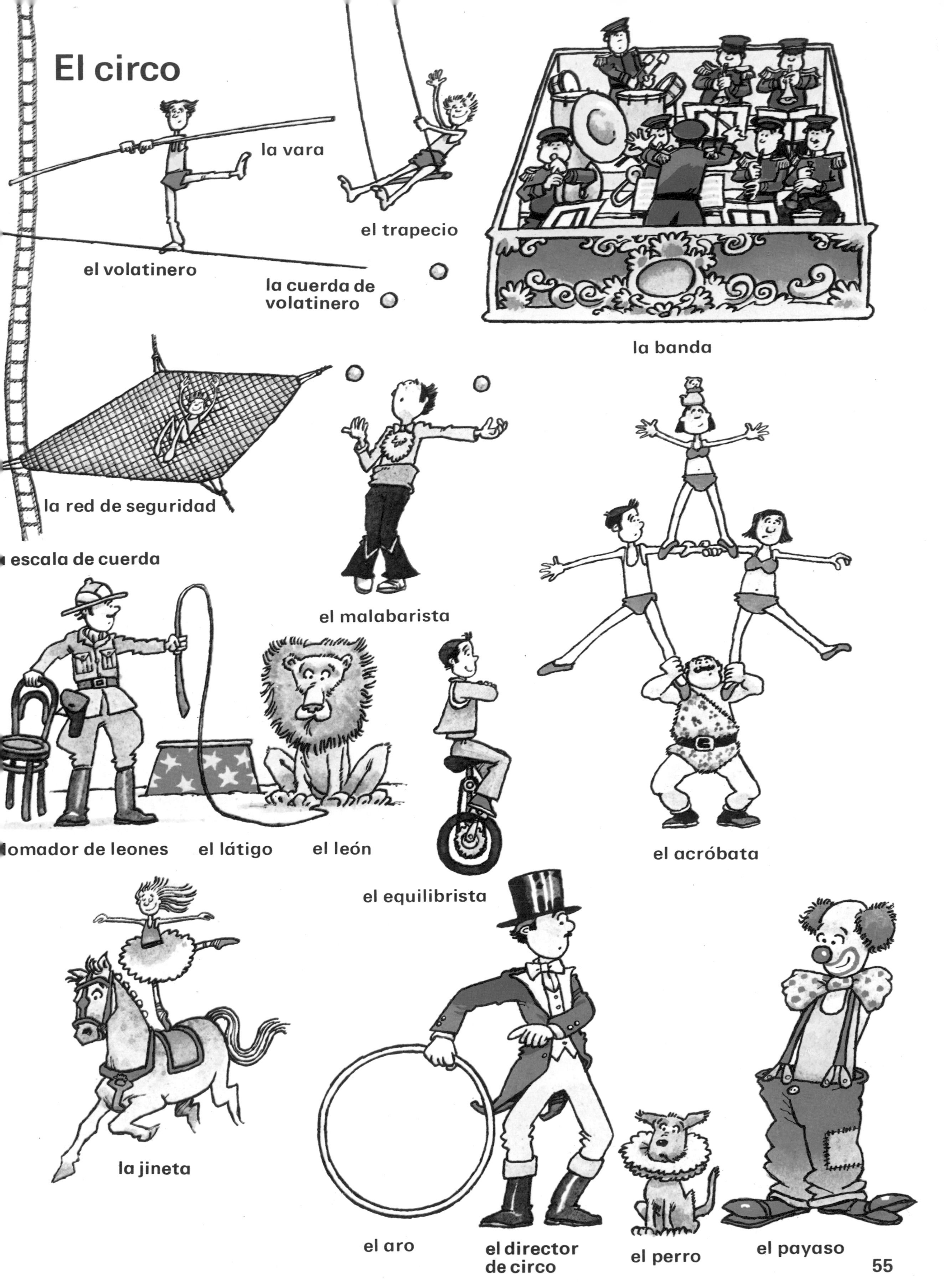
El circo
la vara
el trapecio
el volatinero
la cuerda de
volatinero
la banda
la red de seguridad
escala de cuerda
el malabarista
omador de leones
el látigo
el león
el equilibrista
el acróbata
la jineta
el aro
el director
de circo
el perro
el payaso

INDEX des mots utilisés

Voici la liste alphabétique de tous les mots illustrés dans le livre. Les mots espagnols viennent en premier, puis leur prononciation simplifiée en italique suivie de la traduction française.

La prononciation simplifiée des mots est un guide pour vous aider à les dire correctement. Peu importe s'ils vous paraissent étranges ou amusants ; lisez-les comme des mots français, en tenant compte des règles suivantes :

En espagnol, toutes les lettres d'un mot se prononcent, ainsi caliente se prononce **kaliénnté.**

Le mot espagnol comporte toujours une syllabe accentuée, prononcée sur un ton plus élevé ; la ou les voyelle(s) accentuée(s) apparai(ssen)t en caractères gras dans la transcription simplifiée.

Les voyelles espagnoles se prononcent comme en français sauf **e** qui se prononce entre le *é* et le *è* français et **u** qui se prononce toujours *ou.*

Les consonnes espagnoles se prononcent comme en français sauf :

— **ñ** qui se prononce comme le *gne* d'Espagne ;

— **ll** qui se prononce *ly* comme dans lieu au début d'un mot et *y* à l'intérieur d'un mot ;

— **ch** qui se prononce *tch* comme dans tchèque ;

— **v** qui se prononce pratiquement comme la lettre *b* en français (à peine plus doux) ;

— **s** qui se prononce toujours comme les deux *s* de cassé, qu'il soit en début de mot ou à l'intérieur du mot ;

— **r** qui est toujours roulé. Ce son est obtenu en faisant vibrer la langue contre le palais. Le roulement est redoublé quand il y a deux *r* (rr) ou quand le *r* est en début de mot : **rosa, arroyo** ;

— **j,** le son du *j* français n'existe pas en espagnol. Le **j** espagnol et le **g** devant *e* et *i* se prononcent un peu comme un **h** anglais **dur.** Il s'agit en fait d'un son guttural qui ressemble à un léger raclement de la gorge ;

— le son **z** et celui de **c** devant *e* et *i* sont obtenus en plaçant le bout de la langue entre les dents ; il équivaut au **th** anglais et a été transcrit ainsi dans la prononciation simplifiée.

Espagnol	Prononciation	Français
abajo	*abaho*	en-bas
el abecedario	*él abéthédario*	l'alphabet
la abeja	*la abéha*	l'abeille
abierto/abierta	*abiérto/abiérta*	ouvert/ouverte
el abrigo	*él abrigo*	le manteau
la abuela	*la abouéla*	la grand-mère
el abuelo	*él abouélo*	le grand-père
el acantilado	*él akanntilado*	la falaise
el aceite	*él athéïté*	l'huile
la aceitera	*la athéïtera*	la burette
la acera	*la athéra*	le trottoir
el acróbata	*él akrobata*	l'acrobate
el actor	*él aktor*	l'acteur
el aeropuerto	*él aéropouérto*	l'aréoport
el agua	*él agoua*	l'eau
el águila	*él aguila*	l'aigle
el agujero	*él agouhéro*	le trou
el ala	*él ala*	l'aile
el albaricoque	*él albarikoké*	l'abricot
las aletas	*lasse alétasse*	les palmes
la alfombra	*la alfommbra*	le tapis
la alfombrilla	*la alfommbriya*	la carpette
el alga	*él alga*	l'algue
el algodón	*él algodone*	le coton hydrophile
los alimentos	*losse aliméntosse*	les aliments
el almiar	*él almyar*	la meule de foin
la almohada	*la almoada*	l'oreiller
el alpinista	*él alpinista*	l'alpiniste
alto/alta	*alto/alta*	haut/haute
amarillo	*amariyo*	jaune
la ambulancia	*la ammboulannthia*	l'ambulance
la americana	*la amérikana*	la veste
andar	*anndar*	marcher
andar a gatas	*anndar a gatasse*	marcher à quatre pattes
el andén	*él anndenne*	le quai
el ángel	*él ánnhel*	l'ange
el animal favorito	*él animal faborito*	l'animal familier
el anorak	*él anorak*	l'anorak
el ansarino	*él annsarino*	l'oison
la antena de televisión	*la annténa dé télévissione*	l'antenne de télévision
el apio	*él apio*	le céleri
la apisonadora	*la apissonadora*	le rouleau compresseur
el arado	*él arado*	la charrue
la araña	*la aragna*	l'araignée
el árbol	*él arbol*	l'arbre
la arcilla	*la arthiya*	l'argile
el arco	*él arko*	l'arc
el arco iris	*él arko-irisse*	l'arc-en-ciel
la ardilla	*la ardiya*	l'écureuil
el armario	*él armario*	l'armoire
el armario de cabecera	*él armario dé cabéthéra*	la table de nuit
la armónica	*la armonika*	l'harmonica
el aro	*él aro*	le cerceau
los aros	*losse arosse*	les anneaux
arriba	*arriba*	en haut
el arroyo	*él arroïo*	le ruisseau
el arroz	*él arroth*	le riz
el artista	*él artista*	l'artiste
el ascensor	*él asthénnsor*	l'ascenseur
el aspirador	*él aspirador*	l'aspirateur
el astronauta	*él astronaouta*	l'astronaute
atrapar	*atrapar*	attraper
el autobús	*él aoutobousse*	l'autobus
el avestruz	*él abestrouth*	l'autruche
el avión	*él abione*	l'avion
la avispa	*la abispa*	la guêpe
la azada	*la athada*	la houe
la azafata	*la athafata*	l'hôtesse
el azúcar	*él athoukar*	le sucre
azul	*athoul*	bleu
el azulejo	*él athoulého*	le carreau de faïence
bailar	*baïlar*	danser
la bailarina	*la baïlarina*	la danseuse
bajo/baja	*baho/baha*	bas/basse
la bala de paja	*la bala dé paha*	la balle de paille
la balanza	*la balanntha*	la balance
la ballena	*la bayéna*	la baleine
el balón	*él balone*	la balle

el baloncesto	*él balonnthesto*	le basket
bañarse	*bagnarsé*	se baigner
el banco	*él bangko*	le banc
la banda	*la bannda*	la fanfare
la bandeja	*la banndéha*	le plateau
la bandera	*la banndéra*	le drapeau
el baño	*él bagno*	la baignoire
el bar	*él bar*	le café
la barbilla	*la barbiya*	le menton
la barca de pesca	*la barca dé peska*	le bateau de pêche
la barcaza	*la barkatha*	la péniche
el barco	*él barko*	le bateau
el barco de vela	*él barko dé béla*	le voilier
el barquito	*él barkito*	le petit bateau
la barraca de tiro al blanco	*la barraka dé tiro al blangko*	le stand de tir
barrer	*barrère*	balayer
el barril	*él barril*	le tonneau
la basura	*la bassoura*	les ordures
la bata	*la bata*	le peignoir
la batería	*la batéria*	la batterie
el bebé	*él bebé*	le bébé
beber	*bébère*	boire
el béisbol	*él béïssebol*	le base-ball
la bengala	*la béngala*	le feu de Bengale
la biblioteca	*la bibliotéka*	la bibliothèque
la bicicleta	*la bithikléta*	la bicyclette
blanco/blanca	*blangko/blangka*	blanc/blanche
el blanco	*blangko*	la cible
blando/blanda	*blanndo/blannda*	mou/molle
la blusa	*la bloussa*	la blouse
la boca	*la boka*	la bouche
el bocadillo	*él bokadiyo*	le sandwich
la boda	*la boda*	le mariage
la bola	*la bola*	la bille
el bollo	*él boyo*	le pain au lait
la bolsa	*la bolsa*	le sac
el bolsillo	*él bolsiyo*	la poche
el bolso	*él bolso*	le sac à main
la bomba de aire	*la bommba de airé*	la pompe à air
el bombero	*él bommbéro*	le pompier
la bombilla	*la bommbiya*	l'ampoule électrique
bonito/bonita	*bonito/bonita*	beau/belle
el bosque	*él boské*	le bois, la forêt
las botas	*las botasse*	les bottes
el bote de pintura	*él boté dé pinntoura*	le pot de peinture
el bote de remos	*él boté dé rémosse*	la barque
la botella	*la botéya*	la bouteille
el botón	*él botone*	le bouton
el boxeo	*él bokséo*	la boxe
la boya	*la boya*	la bouée
el brazo	*él bratho*	le bras
la bruja	*la brouha*	la sorcière
el budín	*él boudine*	le pudding
bueno/buena	*bouéno/bouéna*	bon/bonne
el búfalo	*él boufalo*	le buffle
la bufanda	*la boufannda*	l'écharpe
el buho	*el bouo*	le hibou
la burbuja	*la bourbouha*	la bulle
el burro	*él bourro*	l'âne
el buzo	*él boutho*	le scaphandrier

el caballero	*él kabayéro*	le chevalier
el caballete	*él kabayété*	le chevalet
el caballo	*él kabayo*	le cheval
el caballo de balancín	*él kabayo dé balanthine*	le cheval à bascule
la cabaña	*la kabagna*	la cabane
la cabeza	*la kabétha*	la tête
la cabra	*la kabra*	la chèvre
la cacerola	*la kathérola*	la casserole
el cachorro	*él katchorro*	le chiot
el cachorro de león	*él katchorro dé léone*	le lionceau
caerse	*kaérsé*	tomber
el café	*él kafé*	le café
la caja	*la kaha*	la caisse, la boîte
la caja de herramientas	*la kaha dé erramiéntasse*	la boîte à outils
la caja de pinturas	*la kaha dé pinntourasse*	la boîte de peintures
la caja del tren	*la kaha del trène*	le train électrique
el cajón	*él kahone*	le tiroir
la calabaza	*la kalabatha*	le potiron
el calcetín	*él kalthétine*	la chaussette
el calendario	*él kalénndario*	le calendrier
el calentador de agua	*él kalénntador dé agoua*	le chauffe-eau la bouilloire
caliente	*kaliénnté*	chaud/chaude
la calle	*la cayé*	la rue
los calzoncillos	*losse kalthonthiyosse*	le caleçon
la cama	*la kama*	le lit
la camilla	*la kamiya*	le brancard
el camino	*él kamino*	le chemin
el camión	*él kamione*	le camion
el camión de gasolina	*él kamione dé gassolina*	le camion-citerne
la camisa	*la kamissa*	la chemise
la camiseta	*la kamisséta*	la chemisette
el camisón	*él kamissone*	la chemise de nuit
la campanilla	*la kammpaniya*	la clochette
el campo	*él kammpo*	la campagne
la caña de pescar	*la kagna dé peskar*	la canne à pêche
el canal	*él kanal*	le canal
el canalete	*él kanalété*	la pagaie
el canalón del tejado	*él kanalone del téhado*	la gouttière
el cangrejo	*él kangrého*	le crabe
el canguro	*él kangouro*	le kangourou
la canoa	*la kanoa*	le canot
el cañón	*él kagnone*	le canon
la cantante	*la kanntannté*	la chanteuse
cantar	*kanntar*	chanter
el capó	*él kapô*	le capot
la cara	*la kara*	le visage
el caracol	*él karakol*	l'escargot
el caramelo	*él karamélo*	le bonbon
el caramelo americano	*él karamélo amérikano*	la barbe à papa
el caramillo	*él karamiyo*	la flûte, le chalumeau
la caravana	*la karabana*	la caravane
la cárcel	*la karthél*	la prison
la carne	*la karné*	la viande
el carnicero	*él karnithéro*	le boucher
el carpintero	*él karpinntéro*	le charpentier
la carrera de caballos	*la karréra dé kabayosse*	la course de chevaux
la carrera de coches	*la karréra dé kotchesse*	la course d'autos
la carrera de motocicletas	*la karréra de motothiklétasse*	la course de motos
la carreta	*la karréta*	la charrette
la carretera	*la karrétéra*	la route
la carretilla	*la karrétiya*	la brouette
el carrito	*él karrito*	le chariot
la carta	*la karta*	la lettre
el cartero	*él kartéro*	le facteur
la casa	*la kassa*	la maison
la casa de muñecas	*la kassa de mougnékasse*	la maison de poupées
la cascada	*la kaskada*	la cascade
el castillo	*él kastiyo*	le château
el castillo de arena	*él kastiyo dé aréna*	le château de sable
el castor	*él kastor*	le castor
catorce	*katorthé*	quatorze
cavar	*kabar*	creuser
la cebolla	*la théboya*	l'oignon
la cebra	*la thébra*	le zèbre
la ceja	*la théha*	le sourcil
la cena	*la théna*	le dîner
el cepillo	*él thépiyo*	la brosse
el cepillo de carpintero	*él thépiyo dé karpinntéro*	le rabot
el cepillo de dientes	*él thépiyo dé diéntesse*	la brosse à dents
la cera de lustrar	*la théra dé loustrar*	l'encaustique
cerca	*thérka*	près
el cerdito	*él thérdito*	le petit cochon
el cerdo	*él thérdo*	le porc
la cereza	*la thérétha*	la cerise

la cerilla	la thériya	l'allumette
cerrado/cerrada	thérrado/thérrada	fermé/fermée
la cerveza	la thérbétha	la bière
el cesto	él thesto	le panier
el champiñon	él tchammpignone	le champignon
la chaqueta	la tchakéta	la veste en tricot
el charco	él tcharko	la mare
la chica	la tchika	la fille
el chico	él tchiko	le garçon
la chimenea	la tchiménéa	la cheminée
la chincheta	la tchinntchéta	la punaise
el chocolate caliente	él tchokolaté kaliénnté	le chocolat chaud
la chuleta	la tchouléta	la côtelette
el ciclismo	él thiklismo	le cyclisme
el ciervo	él thiérbo	le cerf
cinco	thingko	cinq
el cine	él thiné	le cinéma
la cinta	la thinnta	le ruban
la cinta de medir	la thinnta dé médir	le centimètre
el cinturón	él thinntourone	la ceinture
el circo	él thirko	le cirque
el círculo	él thirkoulo	le cercle
la ciruela	la thirouéla	la prune
el cisne	él thisné	le cygne
claro/clara	klaro/klara	clair/claire
el clavo	él klabo	le clou
el cobertizo	él kobértitho	la remise
el coche	él kotché	la voiture
el coche de bomberos	él kotché dé bommbérosse	la voiture de pompiers
el coche de carreras	él kotché dé karrérasse	la voiture de course
los coches de choque	losse kotchesse dé tchoké	les autos tamponneuses
el coche de policía	él kotché dé polithia	la voiture de police
et cochecito de niño	él kotchéthito dé nigno	la voiture d'enfant
el cocido	él kothido	le ragoût
la cocina	la kothina	la cuisine
cocinar	kothinar	cuisiner
el cocinero	él kothinéro	le cuisinier
el cocodrilo	él kokodrilo	le crocodile
el codo	él kodo	le coude
el cohete	él koété	la fusée
el cojín	él kohine	le coussin
la col	la kol	le chou
la cola	la kola	la colle
las coles de Bruselas	lasse kolesse dé Broussélasse	les choux de Bruxelles
el colgador de ropa	él kolgador dé ropa	le portemanteau
la coliflor	la koliflor	le chou-fleur
la colina	la kolina	la colline
la colmena	la kolména	la ruche
el color	él kolor	la couleur
color naranja	kolor narangha	la couleur orange
color rosa	kolor rossa	la couleur rose
el columpio	él kolоummpio	la bascule
los columpios	losse koloummpiosse	les balançoires
comer	komère	manger
los comestibles	losse komestiblesse	les articles d'épicerie
la cometa	la kométa	la comète
la comida	la komida	le déjeuner
la cómoda	la komoda	la commode
la compota	la kommpota	la compote
comprar	kommprar	acheter
la concha de mar	la konntcha dé mar	le coquillage
el concurso hípico	él kongkourso ipiko	le concours hippique
el conductor	él konndouktor	le chauffeur
el conejo	él koného	le lapin
el cono	él kono	le cône
construir	konnstrouir	construire
la corbata	la korbata	la cravate
el cordero	él kordéro	l'agneau
el cordón	él kordone	le lacet
la corona	la korona	la couronne
la correa de perro	la korréa del pérro	la laisse du chien
el corredor de automóviles	él korrédor dé aoutomobilesse	le coureur automobile
correr	korrère	courir
el cortacésped	él kortathéspède	la tondeuse à gazon

cortar	kortar	couper
la cortina	la kortina	le rideau
corto/corta	korto/korta	court/courte
cosechar	kossétchar	récolter
coser	kossère	coudre
el cosmonauta	él kosmonaouta	le cosmonaute
la crema	la kréma	la crème
la cremallera	la krémayéra	la fermeture-éclair
el cricket	él krikette	le cricket
el cuaderno	él kouadérno	le cahier
la cuadra	la kouadra	l'écurie
el cuadrado	él kouadrado	le carré
el cuadro	él kouadro	le tableau
cuatro	kouatro	quatre
el cubo	él koubo	le cube
el cubo de basura	él koubo dé bassoura	la poubelle
la cuchara	la koutchara	la cuillère
la cuchara de madera	la koutchara dé madéra	la cuillère en bois
el cuchillo	él koutchiyo	le couteau
el cuello	él kouéyo	le cou
la cuenta	la kouénnta	le compte
la cuerda	la kouérda	la corde
la cuerda de saltar	la kouérda dé saltar	la corde à sauter
la cuerda de volatinero	la kouérda dé bolatinéro	la corde du funambule
la cuarna	la kouérna	les bois (cerf)
el cuerpo humano	él kouérpo houmano	le corps humain
la culebra	la koulébra	la couleuvre
el dado	él dado	le dé
la dama de honor	la dama dé onor	la demoiselle d'honneur
debajo	débaho	sous, dessous
el dedo	él dédo	le doigt
el dedo del pie	él dédo del pié	le doigt de pied
el delantal	él délanntal	le tablier
el delfín	él delfine	le dauphin
delgado	delgado	maigre
el demonio	él démonio	le démon
el dentista	el dénntista	le dentiste
dentro	dénntro	dans, dedans
el deporte	él deporté	le sport
a la derecha	a la dérétcha	à droite
el desayuno	él dessayouno	le petit déjeuner
el desierto	él dessiérto	le désert
el destornillador	él destorniyador	le tournevis
el detergente	él détergénnte	la lessive
el dibujo	él dibouho	le dessin
diecinueve	diéthinouébé	dix-neuf
dieciocho	diéthiotcho	dix-huit
dieciséis	diéthisséisse	seize
diecisiete	diéthissiéte	dix-sept
el diente	él diénnté	la dent
diez	diéth	dix
difícil	difithil	difficile
la diligencia	la dilihénnthia	la diligence
el dinero	él dinéro	l'argent
el dinosaurio	él dinossaourio	le dinosaure
el director de circo	él direktor dé thirko	Monsieur Loyal
el director de orquesta	él direktor dé orkesta	le chef d'orchestre
el disco	él disko	le disque
el disfraz	él disfrath	le déguisement
doce	dothé	douze
el domador de leones	él domador dé léonesse	le dompteur de lions
dormir	dormir	dormir
dos	dosse	deux
el dragón	él dragone	le dragon
el dromedario	él dromédario	le dromadaire
la ducha	la doutcha	la douche
el duende	él douénndé	le lutin
el dulce de crema	el doulthé dé kréma	la charlotte
duro/dura	douro/doura	dur/dure
el edredón	él édrédone	l'édredon
el elefante	él éléfannté	l'éléphant
empujar	émmpouhar	pousser

el enano	*él énano*	le nain
encima	*énnthima*	sur, dessus
la enfermera	*la énnferméra*	l'infirmière
la ensalada	*la énnsalada*	la salade
el enyesado	*él énnyéssado*	le plâtre
el equilibrista	*él ékilibrista*	l'équilibriste
la equitación	*la ékitathione*	l'équitation
el erizo	*él éritho*	le hérisson
la escala de cuerda	*la eskala dé kouérda*	l'échelle de corde
la escalera de mano	*la eskaléra dé mano*	l'échelle
las escaleras	*lasse eskalérasse*	l'escalier
el escalón	*él eskalone*	la marche
la escoba	*la eskoba*	le balai
esconderse	*eskonndérsé*	se cacher
la escopeta	*la eskopéta*	le fusil
escribir	*eskribir*	écrire
escuchar	*eskoutchar*	écouter
la escudilla	*la eskoudiya*	l'écuelle
la escuela	*la eskouéla*	l'école
la espada	*la espada*	l'épée
los espaguetis	*losse espaguétisse*	les spaghetti
la espalda	*la espalda*	le dos
el espantapájaros	*él espanntapaharosse*	l'épouvantail
el espejo	*el espého*	le miroir
esperar	*espérar*	attendre
las espinacas	*lasse espinakasse*	les épinards
la esponja	*la espongha*	l'éponge
la esposa	*la espossa*	l'épouse, la femme
el esposo	*él esposso*	l'époux, le mari
la espuma de baño	*la espouma dé bagno*	la mousse
el esquí	*él eski*	le ski
el esquiador acuático	*él eskiador akouatiko*	le skieur nautique
el establo	*él establo*	l'étable
la estación de ferrocarril	*la estathione de ferrocarril*	la gare de chemin de fer
las estaciones	*lasse estathionesse*	les saisons
estar de pie	*estar dé pié*	être debout
estar sentados	*estar sénntadosse*	être assis
la estatua	*la estatoua*	la statue
la esterilla	*la estériya*	la natte
estirar	*estirar*	tirer
el estómago	*él estómago*	l'estomac
la estrella	*la estréya*	l'étoile
la estrella de mar	*la estréya dé mar*	l'étoile de mer
la excavadora	*la ekskabadora*	bulldozer - pelle mécanique
la fábrica	*la fabrika*	l'usine
fácil	*fathil*	facile
la falda	*la falda*	la jupe
la familia	*la familia*	la famille
el fantasma	*él fanntasma*	le fantôme
el faro	*el faro*	le phare
el farol	*el farol*	le lampadaire
feo/fea	*féo/féa*	laid/laide
la feria	*la féria*	la foire, la fête foraine
la fiesta	*la fiésta*	la fête
la flecha	*la flétcha*	la flèche
la flor	*la flor*	la fleur
la foca	*la foka*	le phoque
la forma	*la forma*	la forme
la foto	*la foto*	la photo
la frambuesa	*la frammbouéssa*	la framboise
el fregadero	*él frégadéro*	l'évier
el fregasuelos	*él frégassouélosse*	le balai (pour laver le sol)
la fresa	*la fressa*	la fraise
frío/fría	*frio/fria*	froid/froide
la fruta	*la frouta*	les fruits
el fuego	*él fouégo*	le feu
los fuegos artificiales	*losse fouégosse artifithialesse*	les feux d'artifice
fuera	*fouéra*	dehors
el fuerte	*él fouérté*	la forteresse
la furgoneta	*la fourgonéta*	la fourgonnette
el fútbol	*él fout-bol*	le football
la galleta	*la gayéta*	le gâteau sec
la gallina	*la gayina*	la poule
el gallinero	*él gayinéro*	le poulailler
el gallo	*él gayo*	le coq
ganar	*ganar*	gagner
el garaje	*él garahé*	le garage
la gasolinera	*la gassolinéra*	la station service
el gatito	*él gatito*	le chaton
el gato	*él gato*	le chat
la gaviota	*la gabiota*	la mouette
la gente	*la hénnté*	les gens
el gigante	*él higannté*	le géant
la gimnasia	*la himnassia*	la gymnastique
el globo	*él globo*	le ballon
el globo terráqueo	*él globo terrakéo*	le globe terrestre
la goma	*la goma*	la gomme
gordo/gorda	*gordo/gorda*	gros/grosse
el gorila	*él gorila*	le gorille
la gorra	*la gorra*	la casquette
la gráfica de temperaturas	*la grafika de temmpératourasse*	la courbe des températures
grande	*granndé*	grand/grande
el granero	*él granéro*	la grange
la granja	*la grangha*	la ferme
el granjero	*él granghéro*	le fermier
el grifo	*él grifo*	le robinet
gris	*grisse*	gris/grise
la grúa	*la groua*	la grue, la dépanneuse
el guante	*él gouannté*	le gant
el guardarropa	*él gouardarropa*	la penderie
el guardián del zoo	*él gouardiane del thô*	le gardien de zoo
la guirnalda de papel	*la guirnalda dé papél*	la guirlande de papier
los guisantes	*losse guissanntesse*	les petits pois
la guitarra	*la guitarra*	la guitare
el gusano	*el goussano*	le ver
el gusano de seda	*él goussano dé séda*	le ver à soie
hablar	*ablar*	parler
hacer	*athère*	faire
hacer pompas	*athère pommpasse*	faire des bulles
hacer punto	*athère pounnto*	tricoter
el hacha	*él atcha*	la hache
el hada	*él ada*	la fée
el hámster	*él amstère*	le hamster
la harina	*la arina*	la farine
la hebilla	*la ébiya*	la boucle
la helada	*la élada*	la gelée, le givre
el helado	*él élado*	la glace
el helicóptero	*él élikoptéro*	l'hélicoptère
el heno	*él éno*	le foin
la hermana	*la ermana*	la sœur
el hermano	*él ermano*	le frère
la hierba	*la yerba*	l'herbe
la hija	*la iha*	la fille
el hijo	*el iho*	le fils
el hipopótamo	*él ipopotamo*	l'hippopotame
la hoguera	*la oguéra*	le feu de joie
la hoja	*la oha*	la feuille
el hombre	*él ommbré*	l'homme
el hombro	*él ommbro*	l'épaule
la horca	*la orka*	la fourche
la hormiga	*la ormiga*	la fourmi
el hospital	*él ospital*	l'hôpital
el hotel	*él otel*	l'hôtel
el hoyo de arena	*él oyo dé aréna*	le bac à sable
la hucha	*la outcha*	la tirelire
el huerto	*él ouérto*	le verger
el hueso	*él ouesso*	l'os
el huevo	*él ouébo*	l'œuf
el huevo frito	*él ouébo frito*	l'œuf sur le plat
el humo	*él oumo*	la fumée
la iglesia	*la iglessia*	l'église
el indio	*él inndio*	l'Indien
el interruptor	*él innterrouptor*	l'interrupteur
el invernadero	*él imbernadéro*	la serre
el invierno	*él imbiérno*	l'hiver

la inyección	*la innyékthione*	la piqûre
el irrigador	*él irrigador*	l'irrigateur
la isla	*la isla*	l'île
a la izquierda	*a la ithkiérda*	à gauche
el jabón	*él habone*	le savon
la jalea	*la haléa*	la gelée
le jamón	*él hamone*	le jambon
el jardín	*él hardine*	le jardin
el jefe de estación	*él héfé dé estathione*	le chef de gare
el jersey	*él herséï*	le tricot
la jineta	*la hinéta*	l'écuyère
la jirafa	*la hirafa*	la girafe
las judías	*las houdïasse*	les haricots
el judo	*él houdo*	le judo
el juez	*él houéth*	le juge
jugar	*hougar*	jouer
el juguete	*él houguété*	le jouet
la juguetería	*la houguétéria*	le magasin de jouets
el labio	*él labio*	la lèvre
el ladrillo	*él ladriyo*	la brique
el ladrón	*él ladrone*	le voleur
el lagarto	*él lagarto*	le lézard
el lago	*él lago*	le lac
la lámpara	*la lammpara*	la lampe
la lana	*la lana*	la laine
la lancha de motor	*la lanntcha dé motor*	le canot à moteur
lanzar	*lannthar*	lancer
el lápiz	*él lapith*	le crayon
el lápiz de colores	*él lapith dé koloresse*	le crayon de couleur
largo/larga	*largo/larga*	long/longue
la lata	*la lata*	la boîte de conserve
el látigo	*él latigo*	le fouet
el lavabo	*él lababo*	le lavabo
el lavado de coches	*él labado de kotchesse*	le lavage de voitures
la lavadora	*la labadora*	la machine à laver
lavarse	*labarsé*	se laver
lavarse los dientes	*labarsé losse diénntesse*	se laver les dents
la leche	*la létché*	le lait
la lechuga	*la létchouga*	la laitue
leer	*léère*	lire
lejos	*léhosse*	loin
la leña	*la légna*	le bois à brûler
la lengua	*la léngoua*	la langue
lento/lenta	*lénnto/lénnta*	lent/lente
el león	*él léone*	le lion
el leopardo	*él léopardo*	le léopard
el levantamiento de pesos	*él lébanntamiénnto dé pessosse*	les poids et haltères
el libro	*él libro*	le livre
la lima	*la lima*	la lime
el limón	*él limone*	le citron
limpio/limpia	*limmpio/limmpia*	propre
la linterna	*la linntérna*	la lanterne
la llave	*la lyabé*	la clé
la llave inglesa	*la lyabé inglessa*	la clé à molettes
lleno/llena	*lyéno/lyéna*	plein/pleine
llevar	*lyébar*	porter
llorar	*lyorar*	pleurer
la lluvia	*lyoubia*	la pluie
el lobo	*él lobo*	le loup
el lodo	*él lodo*	la boue
el loro	*él loro*	le perroquet
la lucha libre	*la loutcha libré*	la lutte libre
la luna	*la louna*	la lune
la luz de bengala	*la louth dé béngala*	le feu de Bengale
la luz delantera	*la louth délanntéra*	le phare
el macizo de flores	*él mathitho dé floresse*	le massif de fleurs
la madera	*la madéra*	le bois
la madre	*la madré*	la mère
mágico/mágica	*mahiko/mahika*	magique
el mago	*él mago*	le magicien
el malabarista	*él malabarista*	le jongleur
la maleta	*la maléta*	la valise
malo/mala	*malo/mala*	mauvais/mauvaise méchant/méchante
la manguera	*la manguéra*	le tuyau d'arrosage
la mano	*la mano*	la main
el mantel	*él manntél*	la nappe
la mantequilla	*la manntékiya*	le beurre
la manzana	*la mannthana*	la pomme
el mapa	*él mapa*	la carte
la máquina	*la makina*	la locomotive
la máquina de escribir	*la makina dé eskribir*	la machine à écrire
la máquina fotográfica	*la makina fotografika*	l'appareil photo
el maquinista	*él makinista*	le mécanicien (du train)
el mar	*él mar*	la mer
el marinero	*el marinéro*	le marin
la marioneta	*la marionéta*	la marionnette
la mariposa	*la maripossa*	le papillon
la mariposa nocturna	*la maripossa noktourna*	le papillon de nuit
marrón	*marrone*	marron
el martillo	*él martiyo*	le marteau
la máscara	*la maskara*	le masque
el matorral	*él matorral*	le buisson
el mecánico	*él mékaniko*	le mécanicien
la media luna	*la média louna*	le croissant de lune
las medias	*lasse médiasse*	le collant
las medicinas	*lasse médithinasse*	les médicaments
el médico	*él médiko*	le médecin
la mejilla	*la méhiya*	la joue
el melocotón	*él mélokotone*	la pêche (fruit)
el melón	*él mélone*	le melon
el mercado	*él merkado*	le marché
la mermelada	*la mermélada*	la confiture
la mesa	*la messa*	la table
la mesita	*la messita*	la petite table
la miel	*la miél*	le miel
mirar	*mirar*	regarder
la mitad	*la mitad*	la moitié
mojado/mojada	*mohado/mohada*	mouillé/mouillée
el molino de viento	*él molino dé biénnto*	le moulin à vent
el monedero	*él monédéro*	le porte-monnaie
el mono	*el mono*	le singe
el monstruo	*el monnstrouo*	le monstre
la montaña	*la monntagna*	la montagne
la montaña rusa	*la monntagna roussa*	la montagne russe
morado/morada	*morado/morada*	mauve
la mosca	*la moska*	la mouche
la motocicleta	*la motothikléta*	la motocyclette
el motor	*él motor*	le moteur
muchos/muchas	*moutchosse/moutchasse*	beaucoup de
muerto/muerta	*mouérto/mouérta*	mort/morte
la mujer	*la mouhère*	la femme
las muletas	*lasse moulétasse*	les béquilles
la muñeca	*la mougnéka*	la poupée
el murciélago	*él mourthiélago*	la chauve-souris
el naipe	*él naipé*	la carte (à jouer)
la naranja	*la narangha*	l'orange
la nariz	*la narith*	le nez
la natación	*la natathione*	la natation
la navaja	*la navaha*	le canif
la navegación	*la navégathione*	la voile
la neblina	*la néblina*	la brume
negro/negra	*négro/négra*	noir/noire
el neumático	*él néoumatiko*	le pneu
la nevera	*la nébéra*	le réfrigérateur
el nido de pájaro	*él nido dé paharo*	le nid
la niebla	*la niébla*	le brouillard
la nieve	*la niébe*	la neige
el niño	*el nigno*	l'enfant
la noria	*la noria*	la noria, la grande roue
la novia	*la nobia*	la fiancée, la mariée
el novio	*él nobio*	le fiancé, le marié

a nube	*la noubé*	le nuage
ueve	*nouébé*	neuf
uevo/nueva	*nouébo/nouéba*	neuf/neuve
a nuez	*la nouéth*	la noix
l número	*él nouméro*	le nombre, le numéro
a oca	*la oka*	l'oie
cho	*otcho*	huit
l ojal	*él ohal*	la boutonnière
l ojo	*él oho*	l'œil
l ojo morado	*él oho morado*	l'œil au beurre noir
a ola	*la ola*	la vague
nce	*onnthé*	onze
a oreja	*la oréha*	l'oreille
a oruga	*la orouga*	la chenille
scuro/oscura	*oskouro/oskoura*	sombre
l osito de trapo	*él ossito dé trapo*	l'ours en peluche
l oso	*él osso*	l'ours
l oso blanco	*él osso blangko*	l'ours blanc
l otoño	*él otogno*	l'automne
l óvalo	*él obalo*	l'ovale
a oveja	*la obéha*	la brebis
l padre	*él padré*	le père
a paja	*la paha*	la paille
l pajar	*él pahar*	le grenier à foin
l pájaro	*él paharo*	l'oiseau
l paje	*él pahé*	le page
a pajita	*la pahita*	la paille, le chalumeau
a pala	*la pala*	la pelle
a palabra	*la palabra*	le mot
a palabra de libros de cuentos	*la palabra dé librosse dé kouénntosse*	le mot des livres de contes
a palabra opuesta	*la palabra opouesta*	le contraire, le mot opposé
a palabra sobre el tiempo	*la palabra sobré él tiémmpo*	le mot sur le temps
l palacio	*él palathio*	le palais
a paleta	*la paléta*	la truelle
a paleta de tenis	*la paléta dé ténisse*	la raquette de ping-pong
l palo	*él palo*	le bâton
a paloma	*la paloma*	le pigeon
as palomitas de maíz	*lasse palomitasse dé maïth*	le pop-corn
l pan	*él pane*	le pain
l panadero	*él panadéro*	le boulanger
l panda	*él pannda*	le panda
l panecillo	*él panéthiyo*	le petit pain
os pantalones	*losse panntalonesse*	le pantalon
os pantalones cortos	*losse panntalonesse kortosse*	le short
l pañuelo	*él pagnouélo*	le mouchoir
l Papá Noel	*él papa noél*	le Père Noël
l papel	*él papel*	le papier
l papel de lija	*él papel dé liha*	le papier de verre
a papelera	*la papéléra*	la corbeille à papier
l papel pintado	*él papél pinntado*	le papier peint
l paquete	*él pakété*	le colis
l paracaídas	*él parakaïdasse*	le parachute
a pared	*la parède*	le mur
l parque	*el parké*	le parc
a parte delantera	*la parté délanntéra*	l'avant
a parte trasera	*la parté trasséra*	l'arrière
artir	*partir*	fendre
l paso de peatones	*él passo dé péatonesse*	le passage clouté
a pasta de dientes	*la pasta dé diénntesse*	la pâte dentifrice
l pastel	*él pastél*	le gâteau
l pastor	*él pastor*	le berger
a pata	*la pata*	la patte
a patata	*la patata*	la pomme de terre
l patín de ruedas	*él patine dé rouédasse*	le patin à roulettes
l patinaje	*él patinahé*	le patinage
l patinete	*él patinété*	la trottinette
l patio de recreo	*él patio dé rékréo*	la cour de récréation
l patito	*él patito*	le caneton
l pato	*él pato*	le canard
l pavo	*él pabo*	le dindon
l payaso	*él payasso*	le clown

la pecera	*la péthéra*	l'aquarium
el pecho	*él pétcho*	la poitrine
el peine	*él péiné*	le peigne
pelear	*péléar*	se battre
el pelicano	*él pélikano*	le pélican
el pelo	*él pélo*	les cheveux
la pelota	*la pélota*	la balle
pensar	*pénnsar*	penser
el pepino	*él pépino*	le concombre
pequeño/pequeña	*pékégno/pékégna*	petit/petite
el périódico	*él périodiko*	le journal
el periquito	*él périkito*	la perruche
el perro	*él pérro*	le chien
el perro pastor	*él pérro pastor*	le chien de berger
la persiana	*la persiana*	la persienne
el pescado	*él peskado*	le poisson
el pescador	*él peskador*	le pêcheur
el petrolero	*el pétroléro*	le pétrolier
el piano	*él piano*	le piano
el picnic	*él piknik*	le pique-nique
el pie	*él pié*	le pied
la piedra	*la piédra*	la pierre
la piedrecita	*la piédréthita*	le caillou
la pierna	*la piérna*	la jambe
el pijama	*él pihama*	le pyjama
la píldora	*la pildora*	la pilule
el piloto	*él piloto*	le pilote
la pimienta	*la pimiénnta*	le poivre
la piña	*la pigna*	l'ananas
el pincel	*él pinnthél*	le pinceau
el ping-pong	*él ping-pong*	le ping-pong
el pingüino	*él pingouino*	le pingouin
pintar	*pinntar*	peindre
el pintor	*él pinntor*	le peintre
la pintura	*la pinntoura*	la peinture
el pirata	*él pirata*	le pirate
el piso	*él pisso*	l'appartement, l'étage
la pista de aterrizaje	*la pista dé aterrithahé*	la piste d'atterrissage
la pistola	*la pistola*	le pistolet
la pizarra	*la pitharra*	le tableau noir
la placa	*la plaka*	la plaque, le badge
la plancha	*la planntcha*	le fer à repasser
la planta	*la plannta*	la plante
el plátano	*él platano*	la banane
el platito	*él platito*	la soucoupe
el plato	*él plato*	l'assiette
la playa	*la playa*	la plage
la pluma	*la plouma*	la plume
la pocilga	*la pothilga*	la porcherie
pocos/pocas	*pokosse/pokasse*	peu de...
la policía	*la polithïa*	la police
el pollito	*él poyito*	le poussin
el pollo	*él poyo*	le poulet
el pomo de la puerta	*él pomo dé la pouérta*	la poignée de la porte
el poney	*él ponéi*	le poney
el portaequipajes	*él portaékipahesse*	le porte-bagages
el portero	*él portéro*	le concierge
el poste indicador	*él posté inndikador*	le poteau indicateur
el pote	*él poté*	le pot
el pozo	*él potho*	le puits
la prima	*la prima*	la cousine
la primavera	*la primabéra*	le printemps
el primero	*él priméro*	le premier
el primo	*él primo*	le cousin
la princesa	*la prinnthessa*	la princesse
el príncipe	*él prinnthipé*	le prince
la profesora	*la professora*	le professeur (femme)
el pueblo	*él pouéblo*	le village
el puente	*él pouénnté*	le pont
el puerro	*él pouérro*	le poireau
la puerta	*la pouérta*	la porte
la puerta de esclusa	*la pouérta dé eskloussa*	la vanne de l'écluse
el puerto	*él pouérto*	le port
el pulgar	*él poulgar*	le pouce
el pupitre	*él poupitré*	le pupitre
el queso	*él kesso*	le fromage
quince	*kinnthé*	quinze
el quitasol	*él kitassol*	l'ombrelle

el rabo	*él rabo*	la queue
el radiador	*él radiador*	le radiateur
la radio	*la radio*	la radio
el rail	*él raïl*	le rail
la rana	*la rana*	la grenouille
rápido	*rapido*	vite
el rastrillo	*él rastriyo*	le râteau
el ratón	*él ratone*	la souris
el recogedor de polvo	*él rekohédor dé polbo*	la pelle (à poussière)
la red	*la rède*	le filet
la red de seguridad	*la rède dé ségouridad*	le filet de sûreté
el regalo	*él régalo*	le cadeau
la regla	*la régla*	la règle
la reina	*la réina*	la reine
reírse	*réïrse*	rire
el relámpago	*él rélampago*	l'éclair
el reloj	*él réloh*	la montre, l'horloge
el remo	*él rémo*	la rame
el remolque	*él rémolké*	la remorque
el renacuajo	*él rénakouaho*	le têtard
el reno	*él réno*	le renne
el retrete	*él rétrété*	les toilettes
el revisor	*él révissor*	le contrôleur
el rey	*él réi*	le roi
el rinoceronte	*él rinothéronnté*	le rhinocéros
el río	*él rïo*	la rivière
el robot	*él robotte*	le robot
la roca	*la roka*	le rocher
el rocío	*él rothïo*	la rosée
la rodilla	*la rodiya*	le genou
rojo/roja	*roho/roha*	rouge
el rombo	*él rommbo*	le losange
el rompecabezas	*él rommpékabéthasse*	le puzzle, le casse-tête
romper	*rommpère*	casser
la rueda	*la rouéda*	la roue
la sábana	*la sabana*	le drap
el saco	*el sako*	le sac
la sal	*la sal*	le sel
la salchicha	*la saltchitcha*	la saucisse
la salsa	*la salsa*	la sauce
saltar	*saltar*	sauter
el salto de altura	*él salto dé altoura*	le saut en hauteur
las sandalias	*lasse sanndaliasse*	les sandales
el sapo	*él sapo*	le crapaud
la sartén	*la sartenne*	la poêle
seco/seca	*séko/séka*	sec/sèche
seis	*séisse*	six
el semáforo	*él sémaforo*	le feu (de circulation)
la semilla	*la sémiya*	la graine
la señal	*la segnal*	le signal
el sendero	*el senndéro*	le sentier
el serrín	*el serrine*	la sciure
la seta	*la séta*	le champignon
el seto	*él séto*	la haie
el sheriff	*él shérif*	le shérif
la sierra	*la siérra*	la scie
siete	*siéte*	sept
el silbato	*él silbato*	le sifflet
la silla	*la siya*	la chaise
la silla de montar	*la siya dé monntar*	la selle
la silla de ruedas	*la siya dé rouédasse*	la chaise roulante
la sillita de ruedas	*la siyita dé rouédasse*	la poussette
el sol	*él sol*	le soleil
el soldadito de plomo	*él soldadito dé plomo*	le soldat de plomb
el soldado	*él soldado*	le soldat
el sombrero	*él sommbréro*	le chapeau
el sombrero de paja	*él sommbréro dé paha*	le chapeau de paille
el sombrero de papel	*él sommbréro dé papél*	le chapeau en papier
sonreír	*sonnréïr*	sourire
la sopa	*la sopa*	la soupe
el submarinista	*él soubmarinista*	le plongeur
el submarino	*él soubmarino*	le sous-marin
sucio/sucia	*southio/southia*	sale
el suelo	*él souélo*	le sol
el suéter	*él souéter*	le pull-over
el supermercado	*él soupermerkado*	le supermarché
el surtidor de gasolina	*él sourtidor dé gassolina*	la pompe à essence
la tabla de planchar	*la tabla dé planntchar*	la planche à repasser
el tablón	*él tablone*	la planche
el taburete	*él tabourété*	le tabouret
la tachuela	*la tatchouéla*	la semence
la taladradora	*la taladradora*	le marteau-piqueur
el taladro	*él taladro*	la perceuse
el taller	*él tayère*	l'atelier
el talón	*él talone*	le talon
el tambor	*él tammbor*	le tambour
el tanque	*él tangké*	le char d'assaut
el taxi	*él taksi*	le taxi
la taza	*la tatha*	la tasse
el té	*él té*	le thé
el tebeo	*él tébéo*	l'illustré
el techo	*él tétcho*	le plafond
el tejado	*él téhado*	le toit
los tejanos	*losse tehanosse*	le blue-jean
el tejón	*él téhone*	le blaireau
la telaraña	*la télaragna*	la toile d'araignée
el teléfono	*el téléfono*	le téléphone
la televisión	*la télévissione*	la télévision
el tendero	*él tenndéro*	l'épicier
el tenedor	*él ténédor*	la fourchette
el tenis	*él ténisse*	le tennis
el termómetro	*él termométro*	le thermomètre
el ternero	*él ternéro*	le veau
el tesoro	*él tessoro*	le trésor
la tía	*la tïa*	la tante
el tiburón	*él tibourone*	le requin
la tienda	*la tiénnda*	le magasin
la tienda de campaña	*la tiénnda dé kammpagna*	la tente
la tierra	*la tiérra*	la terre
el tigre	*él tigré*	le tigre
las tijeras	*lasse tihérasse*	les ciseaux
el tío	*él tïo*	l'oncle
el tiovivo	*él tiovivo*	le manège
tirar	*tirar*	tirer
el tiro al blanco	*él tiro al blangko*	le tir
el títere	*él titéré*	la marionnette
la tiza	*la titha*	la craie
la toalla	*la toaya*	la serviette
el tobogán	*él tobogane*	le toboggan
el tocadiscos	*él tokadiskosse*	le tourne-disque
todo	*todo*	tout
tomar	*tomar*	prendre
el tomate	*él tomaté*	la tomate
el tope	*él topé*	le tampon
el topo	*él topo*	la taupe
el tornillo	*él torniyo*	la vis
el tornillo a tuerca	*él torniyo a touérka*	le boulon
el torno de banco	*él torno dé bangko*	l'étau
el toro	*él toro*	le taureau
la toronja	*la torongha*	le pamplemousse
la torre de control	*la torré dé kontrôl*	la tour de contrôle
la tortilla	*la tortiya*	l'omelette
la tortita	*la tortita*	la crêpe
la tortuga	*la tortouga*	la tortue
el tractor	*él traktor*	le tracteur
el traje de baño	*él trahé dé bagno*	le maillot de bain
el trapecio	*él trapéthio*	le trapèze
el trapo	*él trapo*	le chiffon
el trasero	*él trasséro*	le derrière
trece	*tréthé*	treize
el tren	*él trène*	le train
el tren de mercancías	*él trène dé merkannthïasse*	le train de marchandises
el tren fantasma	*el trène fanntasma*	le train fantôme
trepar	*trépar*	grimper
tres	*tresse*	trois
el triángulo	*él triangoulo*	le triangle
el trigo	*él trigo*	le blé
el trineo	*él trinéo*	le traîneau